Heksje Lilly

spookt erop los

Heksje Lilly

Heksje Lilly en het toverboek

Heksje Lilly en de vampier
met wiebeltanden

Heksje Lilly geeft een feestje

Heksje Lilly en de rare ridder

Heksje Lilly en de dolle dino

Heksje Lilly vaart naar Amerika

Heksje Lilly speelt tovervoetbal

Heksje Lilly spookt erop los

Heksje Lilly

spookt erop los

KNISTER

Tekeningen: Birgit Rieger

KLUITMAN

LEES N!VEAU

		ME	ME	ME	ME	ME		
AVI	S	3	4	5	6	7	P	
CLIB	S	3	4	5	6	7	8	P

Toveren| Spoken

Toegekend door Cito i.s.m. KPC Groep

Oude systeem: avi 5
Zie verder: educatie.kluitman.nl

Bɪᴊ Kᴏɴɪɴᴋʟɪᴊᴋᴇ Bᴇsᴄʜɪᴋᴋɪɴɢ
  Hᴏғʟᴇᴠᴇʀᴀɴᴄɪᴇʀ

Nur 282/AC090801
© MMVIII Nederlandse editie:
Uitgeverij Kluitman Alkmaar B.V.
© MMVII Arena Verlag GmbH, Würzburg
Oorspronkelijke titel: *Hexe Lilli und der verflixte Gespensterzauber*
Nederlandse vertaling en bewerking: Merel Leene
Illustraties: Birgit Rieger
Omslagontwerp: Design Team Kluitman

www.kluitman.nl

Printed in China

Dit is Lilly

Lilly heeft een boek.

Een heel bijzonder boek.

Het is een toverboek!

Het lag opeens naast haar bed.

Zomaar.

In het boek staan toverkunsten.

En super trucs voor heksen.

Ook in dit boek lees je veel spreuken.

Maar: pas op…

Zeg ze niet hardop!

5

Want als je één woord fout zegt...
Zzzwoesj!
Je borstel wordt een heksenbezem.
Je meester wordt een boze schurk,
en ijs op een stokje een zure augurk.

Niemand weet van het toverboek.
Lilly is echt een geheime heks.
Alleen Leon heeft het boek wel eens
gezien.
Hij is Lilly's kleine broertje.
Ze moet vaak op hem passen.
Dat vindt ze niet zo leuk.
Maar ach, soms is hij ook wel lief...

6

Het spook met de bult

Het is zondag.
Lilly zit op haar kamer.
Ze leest een spannend boek.
Mama is niet thuis.
Ze is naar Inge.
Dat is haar vriendin.
Inge gaat mama's broek wijder maken.
Die zit te strak.
En wat doet Leon?
Ssst...
Niks zeggen!
Leon wil Lilly laten schrikken.
In zijn kamer is het een grote troep.
Al zijn beddengoed ligt op de grond.
Het kussen en het dekbed.
Zelfs zijn knuffels.
Alles ligt door de kamer.

En waar is Leon?

Hij lijkt wel in gevecht.

Hij vecht met de lakens.

Leon trekt en sjort.

Opeens is hij weg.

Hij zit in de hoes van het dekbed.

'Hoe, hoe!' doet Leon.

Niet hard,

maar juist heel zacht.

Nu oefent hij alleen.

Straks is hij een echt spook.

Dan schrikt Lilly zich een hoedje!

Zacht zegt Leon:

'Ik ben een heel eng spook.

Ik eet het liefst...

...grote zus!'

Leon ziet er super eng uit.

Nou ja, dat denkt hij.

Lilly schrikt vast heel erg.

Leon heeft al een spookplan.

Eerst gaat hij doodstil voor Lilly staan.

Lilly beeft dan vast van angst.

Misschien gaat ze wel gillen.

Daarna wil Leon enge geluiden maken.

Lilly doet het dan vast in haar broek.

Leon giechelt.

Hij ziet het al voor zich!

Oké, daar gaat hij.

'Ik ben het spokerige spook

uit het enge spookslot!' roept hij.

Hij loopt door de gang.

Met zijn handen voelt hij voor zich.

Lastig, dat laken over zijn hoofd.

Hij ziet niks!

'Ik ben zo eng...'

roept Leon met een lage stem.

'Nog enger dan de rover Hotzeplots!

Hoe hoeoeoe, hoe hoeoeoe!'

Boink!

Leon botst tegen de kast.

'Au!' kreunt hij.

Dat wordt een flinke bult.

Maar spoken voelen geen pijn...

Een akelig spokend spook

Lilly leest in haar boek.

Het is zo spannend!

Op de gang zweeft een spook.

Een heel eng, akelig spook.

Lilly merkt niks.

Het spook grinnikt.

Als Lilly hem straks ziet...

...dan verandert haar bloed vast in ijs!

Knal!

De deur vliegt open.

Lilly schrikt van het geluid.

Ze springt van haar stoel.

Lilly kijkt naar de deur.

Haar ogen worden groot.

Bijna schiet ze in de lach.

Ze slaat snel een hand voor haar mond.

Het spook uitlachen...

Dat kan echt niet.

Het spook staat stil op de drempel.

Oe, wat eng!

Nu giechelt Lilly toch.

Het ziet er ook zo grappig uit.

Door de hoes zie je niks van Leon.

Maar Lilly ziet dat het haar broertje is.
Ze herkent de hoes van Leons dekbed.
Maar goed.
Lilly wil de pret voor Leon niet bederven.
Ze doet alsof ze bang is.
Ze beeft van angst.
'H…h…help!
Een spook!' snikt ze.
Dan roept ze hard:
'Leon! Help me.
Er is hier een heel eng spook!

In mijn kamer.'

'Ik ben het spook van de wraak,'
fluistert het spook.

Lilly giechelt zacht.

Leon maakt zijn stem laag,
maar hij klinkt toch heel lief.

Lilly gilt: 'Het is het spook van de wraak.

Hij wil wraak op me nemen.

Waarom weet ik niet.'

'Ik wel!'

zegt het spook.

'Je noemde mij...

Ik bedoel...

Je noemde Leon een baby!'

Nu kan Lilly haar lachen

bijna niet houden.

Want achter op de hoes,

precies in het midden,

staat een lief, roze beertje.

Echt zo grappig!

'Leon, red me nou,' smeekt Lilly.

'Kom snel!

Het spook wil...

Ik weet niet wat.

Maar hij wil iets met me!'

'Ik ga je spokeren!' zegt het spook.

'Wat is dat?' vraagt Lilly verbaasd.

'Dat doen alleen spoken,' fluistert Leon.

'Niet doen, spook,' zegt Lilly.

'Kijk maar uit voor de sterke Leon.

Hij kan heel goed broeren!'

'Broeren?' vraagt het spook.

'Dat doen alleen broertjes,' zegt Lilly.

Leon giechelt.

'Leon?!' vraagt Lilly.

Leon trekt de hoes van zich af.

'Ja, ik ben het!' zegt hij.

Het rommelspook

'Wat is dit?!' roept mama opeens.

Ze is in Leons kamer.

Mama is zeker net thuis.

Lilly en Leon hebben haar niet gehoord.

Dat kwam van al dat gespook.

'Wat een troep,' zegt mama.

'Wat is hier gebeurd?

Leon, wat heb jij uitgespookt?'

'Ik? Niks!' roept Leon.

'Er was een spook.

Die heeft die troep gemaakt.'

'Echt waar,' zegt Lilly.

'Bij mij was hij ook.

Er stond een beer op zijn rug.

Een roze beertje.'

'O!' roept mama.

'Dan had je geluk, Leon.

Stel dat het dat andere spook was.

Die met de piraten.

Die is nog veel enger…'

Mama lacht om Leon.
Een beetje maar.
Toch merkt Leon het.
Boos roept hij:
'Doe niet zo stom!
Jij weet er niks van,
van spoken.'
'Toch wel,' zegt mama.
'Ik ben een keer maar net ontsnapt.
Aan de vloek van een echt spook...'
'Wat?!' roepen Lilly en Leon.
'Vertel eens...'

Een echt spookslot

Mama gaat op de rand van het bed
zitten.
Ze vertelt:
'Je moet weten...
Spoken zijn best lief.
Ze doen niks.
Maar ze zijn ook erg trots...
Je moet ze dus wel serieus nemen.
Anders zijn ze beledigd.
En dan krijgt een grap
soms een akelig eind...'
'Een akelig eind?
Hoe bedoel je?'
vraagt Lilly.

Mama vertelt verder.

'Ik was een keer in Schotland.

Vroeger, toen ik nog jong was.

Ik was daar met mijn klas.

We waren op schoolreis.

In Schotland zijn veel kastelen.

Heel oude,

waar het echt spookt.

Wij geloofden dat niet.

22

Spoken bestaan niet.

Alleen in boeken.

Dachten we...

Tja, dat was dom van ons.

Op een dag hadden we een uitje.

De juf nam ons mee naar een kasteel.

Slot Canterville.

Daar was een soort museum.

Met heel duur, oud servies.

Dat moesten we bekijken.

Echt saai!

Wij wilden liever naar buiten.

Naar het doolhof.

Dat was in de tuin van het slot.

Maar van de juf mocht dat niet.

Zij vond het servies belangrijker.

Nou ja...

Zo gaat dat wel vaker.

Wat de juf zegt, dat moet.

Dat was toen zo.

En nu nog steeds.

We kwamen bij het slot.

Bij de deur stond een oude man.

Een echte Schot.

Hij droeg een Schotse rok.

Een kilt, heet dat.

Hij was de heer van het slot.

Hij zei:

"Welkom op dit slot.

Het is heel oud en bijzonder.

Er zijn een paar regels.

Raak niks aan.

En maak niks stuk.

Laat geen troep achter.

Vooral geen kauwgom op de grond.

Houd je aan deze regels.

O ja, en nog iets.

Het kan zijn dat ons spook opduikt.

Doe dan alsof je bang bent.

Ons spook is erg oud.

Al meer dan drie eeuwen.

Hij is een beetje ouderwets.

Ik zeg het maar.

Zodat hij niet boos wordt

en je in een pad verandert.

Of iets ergers..."

"Spoken!" fluisterde iemand.

Een paar kinderen giechelden.

"Wie gelooft daar nou in...

Spoken bestaan niet!"'

Mama praat wat zachter.

'Lilly, Leon...

Dit geloof je echt niet.

We liepen het slot in.

We waren nog maar net in de hal.

Komt er een spook aan zweven!

Hij jammerde en steunde.

Zo akelig.

Ik rilde er van.

De meeste kinderen lachten.

Vooral de grapjas van de klas.

Dat was Jochem.

Hij pestte het spook.

"Wat een suf oud laken!

Moet dat een spook

voorstellen?"

Hij lachte heel hard.

Hij schudde er van.

Zijn coole zonnebril

wipte op zijn neus.

Het spook liet ons al zijn trucs zien.

Hij rammelde met zijn ketting.

Hij liet ramen vanzelf open gaan

en met een klap dicht slaan.

Hij vloog van de ene lamp naar de andere.

Op de witte vloer maakte hij sporen.

Sporen van bloed...

Hij smeet met het dure servies.

Het viel aan stukken op het harde marmer.

Hij knoopte een touw om zijn nek.

De andere kant maakte hij vast.

Hij bond het aan een kozijn.

Toen bungelde hij heen en weer.

We keken verbaasd toe.

Wat een mooie show!

Hoe deed hij dat?

Met die sporen van bloed?

Niemand was echt bang.

Zeker Jochem niet.

Hij trok aan het laken.

Dat vloog zo van het spook af!'

Leon schrikt.

'O nee,' fluistert hij.

Mama knikt.

'Dat was een grote fout.'

'Wat zat er onder het laken?'

vraagt Lilly.

'Niets,' zegt mama.

'Zonder laken kon je het spook niet zien.

Maar hij spookte gewoon door.

We werden steeds stiller.

Een paar kinderen liepen naar buiten.

We vonden het nu wel eng.

Waren er dan toch spoken?

Alleen Jochem maakte nog grappen.

Hij zwaaide met het laken.

Maar niemand vond het leuk.

Jochem lachte ons uit.

"Wie gelooft dat nou!

Dat nep-spook...

Het zijn trucjes.

Spoken bestaan niet."

Jochem verscheurde het laken.

Dat ging heel makkelijk.

Het laken was zo oud en versleten.

"Hou op!" riep de juf.

De oude Schot riep: "Dat brengt

ongeluk!"

Maar Jochem ging door.

De stukjes gooide hij uit het raam.

Toen we later in de bus stapten,

was Jochem er niet.

We zochten in het hele slot.

Geen spoor van Jochem.

Wel vonden we een dikke pad.

Met een coole zonnebril...'

Wat een spoken...

'Zo ging dat, jongens.'
Mama staat op.
'Nu ga ik weer naar Inge.
Mijn broek halen.
Ik hoop dat het gelukt is.
Die broek moest echt iets wijder.'
Mama zucht.
'Ik moet nodig op dieet.'
'Ach,' zegt Leon.
'Dik vind ik je ook lief.'
Mama lacht.
'Maar ja...
Die broek zat toch te strak!'
Ze doet de deur open.
Dan draait ze zich om.
'Geen rare dingen doen.
Ik ben zo terug.'

Lilly denkt aan mama's verhaal.

Zou het echt gebeurd zijn?

Werd Jochem echt een pad?

Onzin!

Een mooi verhaal was het wel.

Lilly grijnst.

Straks gaat ze nog in spoken geloven.

Echt niet!

Maar ze krijgt wel een goed idee.

Ze gaat een spook toveren!

Dan zal ze Leon eens laten schrikken.

Leon is al weer aan het spelen.

Mooi zo.

Snel pakt Lilly het toverboek.

Het ligt op een geheime plek,

onder haar bed.

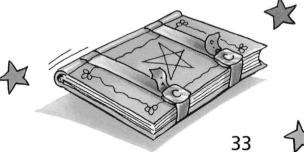

Lilly zoekt bij 'spook'.

Wat veel spreuken!

Lilly snapt niet waar ze voor zijn.

Wat betekent:

Wring een spook af?

Of:

Knars een spook dat kreukelt?

En wat is:

Verspoking om middernacht?

Zal ze een spreuk proberen?

34

Lilly heeft er zo'n zin in.

Anders is ze altijd erg voorzichtig.

Maar nu niet.

Lilly leest de eerste spreuk.

Er gebeurt niks.

Ze leest hem nog een keer.

Iets harder nu.

Weer niks.

Dan leest ze de tweede spreuk.

Niks.

Wat doet ze fout?

Lilly laat het boek zakken.

Opeens hoort ze wat.

Er zit iets in haar kast!

Het jammert en sist en steunt.

Lilly springt op.

Ze loopt naar de kast.

Ze wil de deur al open doen.

Maar nee...

Dit moet Lilly aan Leon laten horen!

Een echt spook...

Dan kan hij lekker griezelen!

Lilly wil Leon al gaan halen.

Opeens hoort ze Leons stem.

Hij roept uit de keuken:

'Lilly, hou op!

Ik weet heus wel dat jij het bent.

Stop maar met dat gespook.

Alleen...

Hoe kom je zo groot?

Lilly, niet doen!'

Ja ja, denkt Lilly.

Gil maar lekker.

Ik trap er niet in.

Dat enge beertjes-spook zeker weer.

'Geen tijd,' roept ze terug.

'Hier is ook een spook.

Hij zit in mijn kast.'

Heel even is alles stil.

Dan hoort Lilly een klap.

Een stoel valt op de grond.

'Help, Lilly,' roept Leon.

'Hier is een echt spook!

Hij wil me betoveren.

In een pad!'

Een pad?

Hoort ze dat goed?

'Lilly! Heeeeelp!'

Leons stem klinkt echt bang.

Lilly weet niet wat ze moet doen.

Houdt hij haar voor de gek?

Als Lilly de keuken in komt,

gelooft ze haar ogen niet.

Er zweeft een enorm spook.

Hij fladdert om de tafel.

Onder de tafel zit Leon.

Het spook huilt akelig.

Woehaaa!

Lilly snapt het meteen.

De spreuken werken toch!

Lilly rent naar haar kamer

en pakt het toverboek.

Ze moet iets doen!

Dat spook moet weer weg.

Als het maar snel lukt.

Straks is Leon een pad...

Lilly's hart bonkt

Lilly weet hoe het werkt.
Als je een spreuk wilt stoppen,
moet je hem nog eens lezen.
Maar dan verkeerd om.
Alleen...
Welke spreuk?
Lilly heeft er zo veel gelezen...
Sommige hard,
andere zachtjes.
Welke spreuk was het?
Welke spreuk toverde
het spook in de keuken?
Lilly weet het niet.
Ze moet een gok doen.
O nee...
Het spook in de kast is er ook nog.
Wat maakt hij een kabaal.

Lilly raakt er van in de war.
Zo kan ze niet goed lezen.
Lilly leest letter voor letter.
Het valt echt niet mee:
van achter naar voren lezen.
Als ze maar niet in de war raakt.
De deur van de kast kraakt...
Snel, Lilly!

Lilly leest de rare woorden.

Haar tong raakt bijna in de knoop.

Toch leest ze zo snel als ze kan.

Er klinkt een luide klop op haar deur.

'Hoehoeoeoe!

Doe open!

En snel,' hoort Lilly.

Dat is niet de stem van Leon!

Lilly krijgt kippenvel.

Wat een geluk:

de stoel staat tegen de deur.

Dat doet Lilly altijd als ze in haar

toverboek leest.

Lilly stopt haar vingers in haar oren.

Zo leest ze door.

Na een tijd wordt het stil.

Het gejammer in de kast is gestopt.

Hè hè...

Maar iemand bonst nog op de deur.
Steeds harder.

Dan is Lilly klaar.
Alle spreuken heeft ze omgekeerd
gelezen.
En toch gaat het bonken door.
Dus doet ze het nog een keer.
Weer is Lilly klaar.
Nog stopt de herrie niet.
Er klinkt nu ook gejammer.
Leon hoort ze niet.
Is hij in een pad veranderd?
Lilly moet hem helpen.
Maar hoe?
Ze haalt diep adem.
Dan doet de ze deur open.

Het spook is heel groot.

Veel groter dan Lilly.

Het spookt door de gang.

Het huilt akelig.

Lilly's hart bonkt.

Wat is ze dom geweest...

Leon heeft zich verstopt.

Hij zit achter een jas

die aan de kapstok hangt.

Het spook staat stil,
vlak voor Lilly.
Met een enge stem zegt hij:
'En nu betover ik jullie!
In padden! Hoehoeoeoe...'
Lilly's haren
staan rechtop.
Dan ziet ze iets...
Iets geks.

45

Het spook heeft handen!
Handen?
Eén hand gaat omhoog.
De hand pakt het laken beet.
Dan trekt hij het opzij en...
Daar staat mama!
Lilly's mond valt open.
Mama was het spook!

Mama lacht.

'Dat had ik lang niet gedaan.

Voor spook spelen…

Echt leuk!'

Lilly haalt diep adem.

Ze komt langzaam bij van de schrik.

Dan grijnst ze.

'Hé, mama.

Trek voortaan altijd een laken aan.

Dan kun je zo dik worden als je wilt.

En je broek hoeft niet wijder!'

'Brutale pad!' roept mama.

Maar dan geeft ze de pad een dikke kus.